LES OURS BRUNS
chez le médecin

LES OURS BRUNS chez le médecin

par Stan et Jan Berenstain

DEUX COQS D'OR

ISBN 2-7192-0360-2
Édition originale : ISBN 0-394-94835-1 Random House, Inc., New York.
Titre original : The Berenstain Bears GO TO THE DOCTOR.

Publié en accord avec Random House, Inc.

Ce soir-là, en les aidant à se mettre au lit, Maman Ourse dit aux oursons: « Demain, je vous conduirai chez le médecin pour une visite générale.

— Le médecin! s'exclama Petit Ours, mais nous ne sommes pas malades!

— Et qu'est-ce qu'une visite générale? demanda Petite Ourse, inquiète.

— C'est un contrôle médical. Le docteur Grizzly vous examinera. Il verra ainsi si vous êtes en bonne santé comme doivent l'être tous les oursons.

— Est-ce que ça fait mal ? demanda Petite Ourse en se cachant sous les couvertures.

— Allons, allons, dit Papa Ours en l'embrassant, calme-toi. Il n'y a vraiment pas de quoi s'inquiéter.»

Mais Petite Ourse n'était pas rassurée.

Le lendemain, après un bon petit déjeuner, toute la famille se mit en route dans la belle voiture rouge.

« As-tu déjà passé une visite médicale comme celle-là, Maman ? demanda Petite Ourse.

— Oui, bien sûr, répondit Maman Ourse.

— Moi je n'en ai plus besoin, dit Papa Ours, je... je...

ne suis jamais malade !

— Mais tu éternues ! s'exclama Maman Ourse.

— C'est de la faute de cette route poussiéreuse ! » répondit Papa Ours.

Ils s'arrêtèrent devant chez le médecin.

« Allons, dépêchez-vous, mes enfants ! leur dit Maman Ourse. Je ne veux pas être en retard. »

Mais Petit Ours recula d'un pas. De vieux souvenirs lui revenaient en mémoire.

« On ne va pas nous... faire... des piqûres ? dit-il en bégayant.

— Ça... c’est le médecin qui en... en...

décidera, répondit Papa Ours en éternuant une nouvelle fois.

— Encore ! s’écria Maman Ourse.

— C’est de la faute de ce soleil ! Moi, je ne tombe jamais malade ! » répliqua Papa Ours.

La salle d'attente, pleine de monde, était un endroit agréable, aux murs décorés de belles gravures où l'on pouvait lire des livres et faire des puzzles. Petit Ours commença un puzzle. Petite Ourse prit un album, mais elle ne le regarda pas vraiment. Elle préférait observer les oursons qui attendaient leur tour.

DOCTEUR
GRIZZLY
PÉDIATRE
OISEAUX

Deux oursons apeurés s'approchèrent de Petite Ourse qui sourit pour les rassurer.

Un gros ourson montrait le plâtre de sa jambe couvert d'inscriptions et de dessins.

Il laissa Petit Ours y écrire son nom — cela portait bonheur. Et Petite Ourse y ajouta un croquis.

Il y avait même un bébé ourson de quelques semaines.

« Le suivant ! » appela le docteur Grizzly. C'était le tour de Petit Ours et de Petite Ourse.

Le docteur Grizzly était aimable, mais il ne s'attarda pas en bavardage. Il avait beaucoup de petits ours à examiner et peu de temps à perdre.

Il commença par peser et mesurer les oursons.

« C'est bien, leur dit-il, vous avez grandi et pris du poids. »

Puis il les ausculta avec son stéthoscope.

Il les tâta partout pour vérifier que tout allait bien à l'intérieur...

Il prit
leur température.
Elle était normale :
« Trente-sept. »

Il regarda leur gorge.

Il examina leurs yeux,

leurs oreilles,

leur nez
avec une petite
lampe spéciale.

Il murmura quelques mots tout doucement,
à voix basse, pour voir s'ils entendaient bien.

Enfin il testa leur vue. Petit Ours put lire toutes les lettres, excepté les plus petites. Petite Ourse ne connaissait pas encore tout son alphabet. On lui donna à lire un tableau spécial comme celui-ci:

« C'est très bien ! » dit le médecin en plaçant les fiches dans un classeur.

Alors Petite Ourse murmura à l'oreille de son frère: « Il ne nous a pas fait mal. »

« Eh bien, je crois que nous en avons terminé... reprit le docteur Grizzly en regardant d'un peu plus près ses papiers. Je vais seulement faire le rappel de votre dernier vaccin.

— J'en étais sûr ! dit Petit Ours.

— Pourquoi nous piquer puisque nous ne sommes pas malades ? demanda Petite Ourse.

— Petite Ourse, le do... do... do... ATCHOUM !... docteur Grizzly sait ce qu'il doit faire !

— Tu as raison de me poser cette question, Petite Ourse », reprit le médecin.

Après avoir préparé les vaccins, il se dirigea vers la salle d'attente et dit à tous les oursons : « J'ai ici une brave petite ourse qui va vous montrer comment on doit supporter les piqûres ! »

« Pour en revenir à ta question, Petite Ourse, dit le docteur Grizzly, il y a certains médicaments que l'on prend pour guérir les maladies : ils sont très efficaces. Mais ce vaccin est un médicament spécial qui t'empêchera de tomber malade.

— Ça fait mal ?... murmura Petite Ourse.

— Moins qu'une morsure à la langue ou une bosse au front, expliqua le docteur Grizzly. Et voilà, c'est fait ! » conclut-il.

Le docteur Grizzly avait raison. Et tout était arrivé si vite que Petite Ourse n'avait pas eu le temps de dire « Ouille ! »

Les oursons qui regardaient étaient très impressionnés.

Après le vaccin de Petit Ours, Papa Ours dit au médecin: « Eh bien, docteur Grizzly, merci et... et...

CHOUM !

et au revoir !

— Attendez, Papa Ours, dit le docteur Grizzly, je vais vous examiner.

— Mais je ne suis jamais malade !... dit Papa Ours.

— Humm...
la température
est au-dessus
de la normale.

Humm...
la gorge
est toute
rouge.

Humm...
le nez...
Vous êtes
enrhumé ! »

« Papa, il faut prendre ton médicament ! dirent, un peu plus tard, les oursons à Papa Ours en lui tendant une grande cuillerée de sirop que le docteur Grizzly avait prescrit pour son rhume.

— Oui, répondit Papa Ours en souriant faiblement. Mais je ne suis *presque* jamais malade, n'est-ce pas ? »

Loi n° 49-956 du 16 juillet 1949 sur les publications destinées à la Jeunesse
Dépôt légal : octobre 1982 - Deux Coqs d'Or éditeur - N° 1-7951-4-82 - Imprimé en Italie (1)